PIERRE
BORDAS
ET FILS

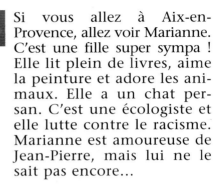

Si vous allez à Aix-en-Provence, allez voir Marianne. C'est une fille super sympa ! Elle lit plein de livres, aime la peinture et adore les animaux. Elle a un chat persan. C'est une écologiste et elle lutte contre le racisme. Marianne est amoureuse de Jean-Pierre, mais lui ne le sait pas encore...

Paul est canadien. Il habite à Québec, la capitale du Québec. C'est facile à retenir, non ? À l'école, ce qu'il aime, c'est la récréation... et parler avec Pascale-Marie, sa belle voisine.

Vocabulaire :

la capitale : ville où se trouve le gouvernement d'un état.

retenir : garder dans sa mémoire, se rappeler.

la récréation : à l'école, petite pause entre les cours.

le gars : garçon, jeune homme.

il la fait craquer : (familier) il lui plaît beaucoup.

plein de bon sens : très raisonnable.

la Wallonie : partie de la Belgique où on parle français.

écologiste : qui est pour le respect et la protection de la nature.

Jean-Pierre est plein de bon sens. Très doué pour les études, il aime l'Internet et l'astronomie. Il habite à Liège, en Wallonie. Jean-Pierre est sur un fauteuil roulant car, à cause d'une grave maladie, il ne peut pas marcher.

En Suisse, Mathilde, après le lycée, travaille dans un fast-food.
Elle a un frère qui s'appelle Dominique et qui a un copain hyper beau : il ressemble à Brad Pitt et il la fait craquer !

Nos quatre amis ont fait connaissance sur Internet. L'ordinateur est une belle invention ! Ils discutent ensemble tous les jours dans une salle virtuelle qu'ils ont appelée : *Les copains d'abord* !

Salut ! Dans ton livre de lecture, il y a plein d'activités intéressantes pour améliorer ton français. À toi de jouer !

A **Réponds par vrai ou faux.**

		V	F
1.	Mathilde travaille dans un fast-food.	☐	☐
2.	Paul n'aime pas la récréation.	☐	☐
3.	Marianne est super sympa.	☐	☐
4.	La Wallonie est la partie francophone de la Belgique.	☐	☐
5.	Les quatre amis ont fait connaissance à Paris.	☐	☐

B **Complète le texte suivant avec les mots ci-dessous.**

Mathilde _____ pour un copain de son frère Dominique. Il est si beau ! Marianne, elle, aime Jean-Pierre. Sur _____ , les copains discutent ensemble et s'amusent. Paul dit qu'il adore la _____ . Jean-Pierre, lui, dit qu'il préfère l'_____ . Mathilde, elle, aime aller à la _____ . Marianne préfère _____ un bon livre et jouer avec son chat _____ .

- montagne   • craque   • persan
- récréation   • Internet   • préfère
- astronomie   • lire

C

Reconstruis les phrases en t'aidant des dessins.

Exemple : a, Marianne,  un.

Marianne a un chat persan.

1. aime, en Wallonie, Jean-Pierre,  , qui habite Liège.

2. dans un, Mathilde , travaille.

3. la capitale, Québec, du, est
.

4. sur Internet, il faut, pour surfer, un .

Sais-tu que...

Tous les pays du monde qui ont la langue française en commun sont regroupés dans un ensemble nommé Francophonie.

Pour en savoir plus : www.francophonie.org

Aujourd'hui, Marianne est dans sa chambre. Elle est sur son lit. Elle mange des cornichons et lit un livre.

Tout à coup sa mère entre dans la pièce sans frapper : elle est très en colère.

> – Marianne ! Cette semaine, tu as lu Arthur Rimbaud, Charles Baudelaire et Guillaume Apollinaire, n'est-ce pas ?

La jeune fille est toute surprise : comment sa mère fait-elle pour savoir ce qu'elle lit ?

> – Oui, maman, pourquoi cette question ?

> – Parce que tu laisses toujours des cornichons, de la mayonnaise ou de la confiture sur les pages. Regarde un peu ce gâchis !

La mère montre à sa fille la page d'un livre de poèmes :

6

> – Ce texte est complètement illisible Marianne ! Tu as vu cette tache ? Faire ça à Rimbaud ! C'est affreux !

– Calme-toi maman ! Au fond, ce n'est qu'un peu de « Nourritures terrestres ».

– Très drôle ! Je ne veux plus que cela se reproduise, d'accord ? D'ailleurs, je te conseille de manger moins !

La mère de Marianne quitte la chambre et claque la porte : CLAC ! Marianne est surprise. Elle se lève et se regarde dans le miroir :

– Faire un régime, moi ?

Vocabulaire :

surpris : étonné, pris à l'improviste.

la mayonnaise : sauce faite avec des jaunes d'œufs et de l'huile.

la confiture : préparation de fruits cuits avec du sucre.

le gâchis : situation regrettable, désolante.

illisible : que l'on ne peut pas lire.

la tache : marque, trace de quelque chose qui salit une surface.

affreux : terrible, horrible, très désagréable.

la nourriture : ce que l'on mange ; _Les Nourritures terrestres_ est le titre d'un livre d'André Gide (1869-1951).

faire un régime : respecter des règles alimentaires.

A Marianne au quotidien.
Sous chaque dessin, écris
ce que fait Marianne.

mange une pomme
X pense à Jean-Pierre
parle au téléphone
écrit dans son journal intime
lit un livre de poésies
mange un sandwich
donne à manger au chat
parle avec ses amis

1. Marianne pense
à Jean-Pierre.

2. _____

3. _____

4. _____

5. _____

6. _____

7. _____

8. _____

B **Et toi, comment se déroule ta journée ? Écris un court texte qui décrit ce que tu fais en utilisant les verbes suivants :**

manger, parler, étudier, écrire, lire, rêver.

Pendant ce temps, à Fribourg...

Mathilde est dans la salle de bains, vêtue d'un peignoir. Sur le pèse-personne, elle regarde l'aiguille avec anxiété.

> – Quelle horreur ! 55 kilos ?! Mais je suis énorme ! Ce n'est pas possible ! Il est détraqué ce machin !

Elle descend vite du pèse-personne et court vers sa chambre.

> – C'est décidé. Je dois faire régime !

Elle allume son ordinateur.

> – Je vais faire une recherche sur Internet. Je vais certainement y trouver un régime qui me convient.

Mathilde explore plusieurs sites consacrés à l'information alimentaire.

> – Voilà un régime qui semble efficace !

À cet instant, un message l'invite à retrouver ses trois amis aux *Copains d'abord* ! Paul a une grande nouvelle à annoncer à ses amis.

Vocabulaire :

l'aiguille (f) : ici, pointe d'acier qui indique le poids.

l'anxiété (f) : état de trouble, le contraire de « calme ».

détraqué : cassé, qui ne fonctionne pas.

le machin : (familier) chose, objet, appareil.

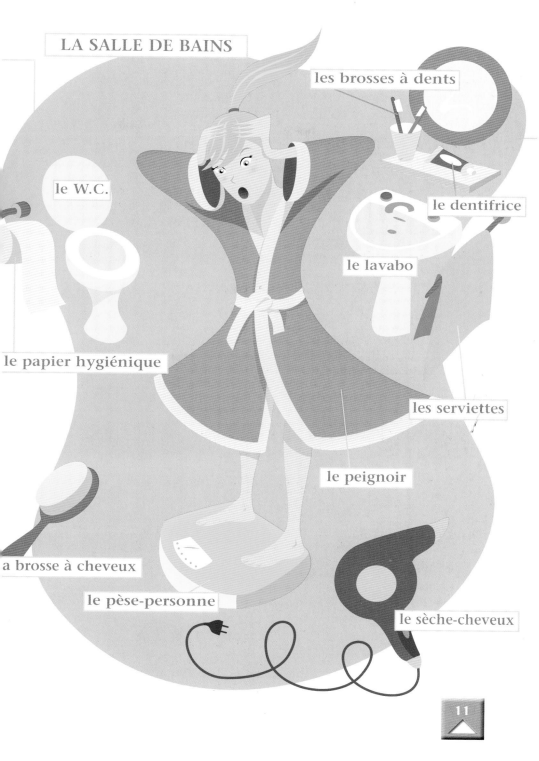

LA SALLE DE BAINS

les brosses à dents

le dentifrice

le W.C.

le lavabo

le papier hygiénique

les serviettes

le peignoir

la brosse à cheveux

le pèse-personne

le sèche-cheveux

11

A **Que disent-ils ? Mets le texte qui convient dans la bulle du bon personnage.**

a. Ce n'est pas ma faute si j'aime lire et manger…

b. Tous mes livres sont sales !

c. C'est décidé ! Je dois faire un régime.

d. Quelle horreur ! Mais je suis énorme ! Ce n'est pas possible. Il est détraqué ce machin !

1.

2.

3.

4.

B **Maintenant, c'est à toi d'écrire le texte ! Utilise les mots suivants :** *qui me convient, sur Internet, recherche, y trouver, faire une, sûrement, je vais, un régime, je vais.*

– Salut les mecs, alors, ça gaze ? demande Mathilde.

– Ouais, ça gaze, répondent ensemble Jean-Pierre et Paul.

– Il pleut à Liège, informe Jean-Pierre. Et à Fribourg ?

La jeune Suisse n'a pas le temps de répondre, car Paul lui coupe la parole :

– Je suis nerveux. Vous savez pourquoi ?

– Je crois que nous allons le savoir ! s'exclame Marianne.

– Oui, vous allez le savoir. J'ai mon examen de conduite dans quelques jours. Je passe mon permis.

– Ton permis ? fait Jean-Pierre surpris. Mais tu n'as que 16 ans !

Paul explique à Jean-Pierre, Marianne et Mathilde qu'au Canada il est possible d'obtenir son permis de conduire à 16 ans.

– C'est chouette ! fait Mathilde. Tu vas pouvoir aller où tu veux !

– Oui, si mon père me prête son *char*.

– Son quoi ? demande Jean-Pierre qui ne comprend pas.

– Son *char* ! C'est-à-dire sa voiture, son automobile. On dit comme ça au Québec.

– Ah bon... Maintenant c'est clair ! J'ai *pigé*...heu...j'ai compris, corrige Jean-Pierre.

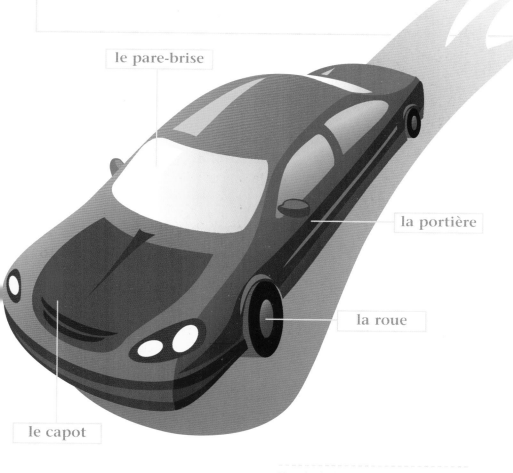

le pare-brise

la portière

la roue

le capot

Les copains discutent des avantages et des inconvénients de la voiture.

— Dans un pays aussi vaste que le Canada, un tel moyen de transport est indispensable, explique Paul.

— Mais en Europe ? demande Marianne, sensible aux problèmes de l'environnement. Mieux vaut le train et les transports en commun !

— C'est juste, répond Jean-Pierre. Surtout que les voitures consomment de l'essence et, en ville, elle créent souvent des embouteillages !

— Question consommation, dit Mathilde, je consomme moins à présent car je fais un régime.

— Super ! reprend Marianne. Moi aussi je désire faire un régime !

— Les revoilà avec leurs discussions de filles, soupire Paul.

— Et toi, avec tes histoires de garçons… la voiture, le permis et patati, et patata… , relance Mathilde.

Vocabulaire :

inconvénient : désavantage.

vaste : très grand.

l'environnement (m) : cadre de vie de l'homme.

le transport en commun : l'autobus, le métro, le train sont des « transports en commun ».

l'essence (f) : carburant pour le fonctionnement des véhicules.

l'embouteillage (m) : se produit sur la route, quand la circulation des voitures est bloquée.

et patati, et patata : expression familière qui suggère un long bavardage inutile.

Marianne explique que sa mère lui a dit de manger moins :

– Il est difficile de ne pas grignoter, avec mon père qui remplit le frigo de fromages, de sauces et de crudités.

– Pour bien commencer un régime, il faut se convaincre que le frigo n'existe pas, dit Mathilde. Tu dois te répéter, en te mettant devant : « Tu n'existes pas ! Tu n'existes pas ! »

– … Et ça marche ? demande Jean-Pierre sceptique.

– … oui, mais c'est plus facile si tu évites ensuite d'aller à la cuisine, répond Mathilde.

– Vous êtes complètement folles ! dit Paul. Moi, je vais étudier le code de la route pour mon examen. Salut !

– Bonne chance Paul ! lui lancent les trois autres. Et bonne chance aussi aux piétons canadiens !

Vocabulaire :

grignoter : manger en petites quantités.
les crudités : légumes crus en salade.
éviter : ne pas faire quelque chose.
le piéton : personne qui va à pied.

A **Les avantages et les inconvénients de l'automobile. Classe les mots au bon endroit.**

Avantages	Inconvénients
	pollution

- liberté
- peu économique
- consomme beaucoup d'essence
- rapidité
- crée des embouteillages
- pratique
- ~~pollution~~

Quelle horreur ! On a mélangé les légendes des illustrations. Remets-les dans l'ordre, s'il te plaît.

1. ☐

a. Marianne monte sur le pèse-personne.

2. ☐

b. La mère de Marianne entre dans la chambre.

c. Marianne lit un livre sur son lit.

3. ☐

d. Marianne renverse de la mayonnaise sur les pages d'un livre.

4. ☐

R290454

Une semaine plus tard, à Aix-en-Provence...

– Ça va faire trois jours que je suis le même régime que Mathilde... et je suis à bout. Je meurs de faim !

Marianne est fatiguée. Elle est moins en forme que d'habitude et, en plus, elle a perdu le goût de la lecture... elle qui d'habitude dévore les livres !
Son régime a du bon : les livres de sa mère restent propres...

– Je ne dois plus penser à manger.

Elle va dans la cuisine, se place devant le frigo et dit à haute voix : « Tu n'existes pas ! Non ! Tu n'existes pas ! »
Au même moment, son papa entre dans la cuisine avec un baladeur sur les oreilles. Il chante à pleins poumons :

– ALLUMEZ LE FEU ! ALLUMEZ LE FEU ! Qu'est-ce que tu fais Marianne ?

– Je fais un régime !

– Pardon ?

Marianne lève un écouteur et dit à son père :

– Je fais un régime !

– Un régime ? Mais tu es maigre comme un clou. C'est idiot ! Mange un peu de ce délicieux fromage.

Marianne refuse scandalisée alors que son père quitte la cuisine en chantant.

Vocabulaire :

je suis à bout !: je suis très très fatiguée !

dévorer : manger avec appétit.

l'écouteur (m): partie du baladeur qu'on applique sur l'oreille pour écouter.

être maigre comme un clou : être très maigre.

scandalisée : choquée, révoltée.

21

Entracte culturel

Les Français à table

Le repas est un moment privilégié pour discuter. En fonction du type de rencontre, on aura des conversations différentes : repas familial, déjeuner d'affaires, dîner en tête-à-tête... Le repas est l'un des moments les plus importants de la vie quotidienne des Français. Cependant, le temps passé à table diminue sans cesse. Un exemple ? En 1965, on passe 2 heures à table tandis qu'aujourd'hui, on n'y reste qu'une heure vingt.

© Marka

Vocabulaire :

privilégié : ici, d'une importance particulière.

dîner en tête-à-tête : repas entre deux personnes.

l'apprentissage : le fait d'apprendre quelque chose.

22

Les plaisirs de la table sont nombreux. Bien connaître et bien nommer les saveurs de la table est, en soi, un apprentissage : c'est pourquoi, en France, il existe la *Semaine du goût* pour exercer le sens de la dégustation ! Le sucré, le salé, l'amer et l'âpre n'ont plus de secrets pour personne ! On peut enfin donner un nom aux sensations que l'on perçoit.

Par exemple, savez-vous que le français compte près de 2000 mots uniquement pour parler du vin !
Plus de 500 pour les fromages et... 250 pour le chocolat !

sucré

amer/amère

salé

âpre

La France est le premier producteur mondial de fromages. On ne compte pas moins de 500 fromages différents ! Les plus connus sont : le Camembert en Normandie, le Brie, dans la Brie, le Roquefort dans l'Aveyron et le Bleu d'Auvergne... en Auvergne, bien sûr !

On connaît le fromage depuis le début de l'ère chrétienne. C'est au Moyen Âge que le fromage devient un produit « industriel » : il est fabriqué par les moines dans les abbayes.

Lors de la Révolution, la fermeture des monastères va aider la diffusion des recettes et la création de nouveaux fromages.

On dit que les Français ont autant d'opinions qu'ils ont de fromages différents !

© Marka

Pour en savoir plus :

www.francefromage.com

Vocabulaire :

Moyen Âge : de 476 à 1492 après Jésus-Christ.
l'abbaye (f) : lieu où habitent les moines.

À présent,
à toi de répondre !

	V	F
a. Le temps passé à table diminue sans cesse.	☐	☐
b. La France est le premier producteur mondial de fromages.	☐	☐
c. Le français compte près de 10 000 mots uniquement pour parler du vin.	☐	☐
d. Le Cheddar est un fromage français.	☐	☐
e. On connaît le fromage depuis le Moyen-Âge.	☐	☐

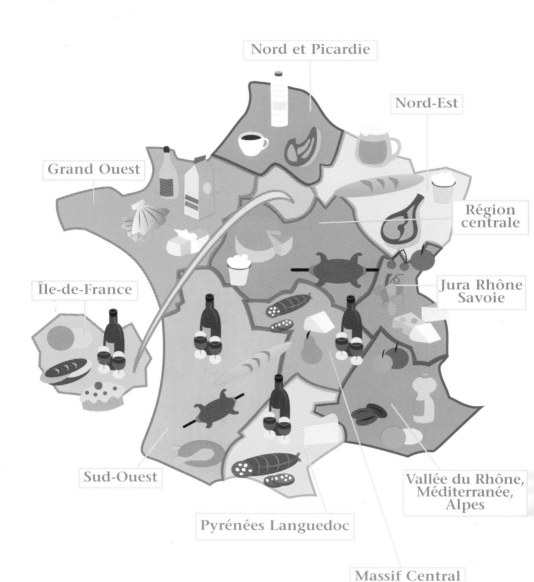

Nord et Picardie

Nord-Est

Grand Ouest

Région centrale

Île-de-France

Jura Rhône Savoie

Sud-Ouest

Vallée du Rhône, Méditerranée, Alpes

Pyrénées Languedoc

Massif Central

La France et ses produits gastronomiques. Observe la carte et écris les produits typiques relatifs à chaque région..

- cidre
- pâtisseries
- crème fraîche
- volaille
- huile
- café

- lait
- fruits de mer
- viande de porc
- saucisson
- fruits secs
- viande

- beurre
- vin
- fromage
- poires
- pommes
- bière

- agrumes
- sandwiches
- gibier
- fruits frais
- eau minérale
- pain

Nord et Picardie :

Grand Ouest :

Ile-de-France :

Nord-Est :

Région centrale :

Sud-Ouest :

Massif Central :

Jura Rhône Savoie :

Pyrénées Languedoc :

Vallée du Rhône, Méditerranée, Alpes :

Et que se passe-t-il à Fribourg ?

– Quelle horreur ! hurle Mathilde sur le pèse-personne. Trois jours de régime et je pèse encore 54.5 kilos ! Mais c'est énorme ! Je suis un éléphant !

Elle va dans sa chambre et aperçoit son frère sur le lit :

– Dominique ! Que fais-tu ?

Dominique mange une énorme tablette de chocolat.

– Tu en veux ?

– Tu sais bien que je fais un régime.

– Mais enfin, Mathilde, proteste Dominique. Tu es plutôt maigrichonne, pourquoi suivre un régime, c'est bête, quoi !

– Sors de ma chambre !

– Bon, bon Mathilde, ne t'énerve pas... , répond Dominique en sortant.

Marianne regarde son frère et ferme la porte. Sur le lit, quelques miettes de chocolat, de bon chocolat au lait... elle se précipite pour les manger.

– Non, je ne dois pas les manger ! Faisons un peu de méditation.

Marianne est assise en tailleur. Elle commence sa séance de yoga :

– Ommmmmmmmmmmm ...

A **Regarde les dessins et dis comment sont les personnages.**

1. Dominique

2. La mère de Marianne

3. Jean-Pierre

4. Paul

- sourit
- en colère
- très nerveux
- très maigre

Écris dans la colonne qui convient les mots correspondants.

Bon pour un régime	Mauvais pour un régime

- les fruits
- les légumes
- les biscottes
- les céréales
- la viande
- les boissons gazeuses
- le fromage
- l'eau
- le chocolat
- le beurre

5

Le lendemain, au Québec...

Paul doit passer son examen de conduite aujourd'hui. Il est
nerveux. Il sait qu'un des examinateurs est particulièrement
sévère. Il ignore son nom. Il sait seulement qu'il s'agit d'un
homme gros, chauve avec une barbe. Il porte des lunettes et
un nœud papillon.

> – Avec la chance que j'ai… je vais l'avoir comme
> examinateur.

Le Québécois connaît par cœur le code de la route :
le passage pour piétons, le sens interdit, le virage à droite
obligatoire, le stationnement interdit, etc.
Seul dans la salle, il attend qu'on l'appelle. Soudain, une
gentille secrétaire entre dans la salle et dit :

– Paul Brindamour ?

– Oui, c'est moi…

– C'est votre tour. Vous avez le véhicule numéro 13.

Paul se lève de la chaise les jambes molles. Il se dirige vers le garage où sont les voitures.

– Le char numéro 13… ça commence bien.

Quand il arrive au garage, l'examinateur est déjà dans la voiture : c'est un gros chauve avec une barbe, des lunettes et un nœud papillon.

– Bingo ! s'exclame alors Paul.

passage pour piétons

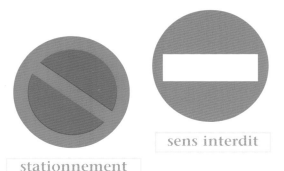

sens interdit

stationnement
interdit

virage à droite
obligatoire

33

Vocabulaire :

connaître par cœur : connaître parfaitement, garder dans sa mémoire.

le véhicule : ici, la voiture.

(les jambes) molles : affaiblies à cause de la peur.

Bingo ! : expression familière (au Canada) pour exprimer sa surprise.

A Salut ! Cherche parmi les mots suivants, ceux qui ont un rapport avec *le code de la route*. Ensuite, ajoute l'article défini *le, l', la* ou *les*.

- stationnement interdit
- nœud papillon
- virage obligatoire à droite
- examinateur
- voiture
- sens interdit
- garage
- jambes
- passage pour piétons
- lunettes
- chauve
- feux de circulation

le sens interdit

B À l'aide des dessins, complète les mots ci-dessous.

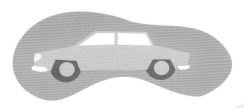

1. v ○ it ∪ ⌐ e

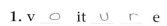

2. fe ___ de ci ___ la ___ n

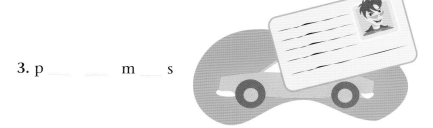

3. p ___ m ___ s

4. ex ___ a ___ r

Pendant ce temps, à Liège Jean-Pierre est au lycée...

Dans son cours de français, Jean-Pierre écoute le professeur. Il parle de la littérature et de l'art culinaire :

— ...On retrouve chez les plus grands écrivains français de nombreuses références à la nourriture. Se nourrir n'est pas une activité animale, comme on le pense ; c'est une véritable activité humaine car chez l'homme, se nourrir est un art : l'art culinaire. L'animal mange, l'homme se nourrit. L'animal mange dans une écuelle, l'homme dans de la faïence. L'animal mange seulement par besoin ; l'homme, lui, par goût.

Marcel Proust, dans son livre *Du côté de chez Swan*, parle du pouvoir de la nourriture sur la mémoire : manger se rapporte plus à l'esprit qu'au ventre.

le pupitre — les élèves

Proust mange un petit gâteau nommé « madeleine » et la saveur du gâteau lui rappelle sa jeunesse heureuse à Combray.

À la fin de la leçon, le professeur de français donne à chaque élève une madeleine.

— Cela va vous aider à vous souvenir de cette leçon !

La cloche sonne et les élèves sortent bruyamment.

l'étagère

le professeur

AUJOURD'HUI :

MARCEL PROUST

le tableau noir

le bureau

la craie

Vocabulaire :

se nourrir : manger.
l'écuelle : bol où mangent les animaux domestiques.
la faïence : type de céramique.

Marcel Proust

© Olympia

Marcel Proust est l'auteur d'une œuvre littéraire : *À la recherche du temps perdu*.

Cette œuvre est composée de 7 romans dont la publication va de 1913 à 1927.

La *Recherche* est une reconstruction de la réalité à partir de la mémoire, l'épisode des madeleines le montre : le seul fait de goûter un morceau de ce gâteau fait revivre une grande période de l'enfance du personnage principal.

Selon Proust, c'est la mémoire qui donne une unité au temps qui passe et qui lui donne une signification. Le style de Proust est parfois un peu difficile car les phrases sont longues : l'écrivain veut exprimer de cette façon la continuité de la mémoire.

Pour en savoir plus :
La Société des amis de Marcel Proust
http://webperso.alma-net.net/proust/sommaire.htm

Gargantua, personnage inventé par François Rabelais (1494 – 1553), est un géant connu pour son grand appétit. À sa naissance, le géant n'a pas pleuré, il a dit : « J'ai faim ! j'ai soif ! »

Rabelais, dans le récit de l'éducation de Gargantua, s'amuse à faire la liste de ce qu'il mange dans un repas « normal » ...

Gargantua par G. Doré

« Assis à table, et comme amuse-gueule, il avale quelques douzaines de jambons, de langues de bœuf fumées, de caviar, d'andouilles et du vin. Quatre personnes mettent cela dans sa bouche avec des pelles et ajoutent de la moutarde ! Il boit beaucoup de vin blanc et ne cesse de boire que quand ses bottes sont pleines de vin ! »

(d'après *Gargantua, chapitre XXI*)

Vocabulaire :

le géant : être colossal des contes et des légendes.

l'amuse-gueule (m) : petites choses à manger que l'on sert avant le repas.

l'andouille (f) : sorte de saucisse.

la pelle : outil qui sert à creuser la terre, à la déplacer, etc.

la botte : sorte de chaussure qui enferme le pied et la jambe.

© Olympia

Honoré de Balzac (1799 - 1850)

Balzac est un autre écrivain français qui s'intéresse au thème de la nourriture. En 1838, il écrit le *Traité des excitants modernes*. C'est un livre ironique. Il parle des effets de l'alcool, du sucre, du thé, du café et du tabac sur la société moderne.

Balzac déteste le tabac (et il a raison !). Il dit qu'en fumant, un homme se transforme en cheminée ! Écoutons-le :

« Entre le pain et le tabac, le pauvre n'hésite pas : le tabac ! Le jeune homme sans le sou qui use ses bottes sur l'asphalte des boulevards imite le pauvre ; le bandit qui se cache dans les montagnes, vous offre de tuer votre ennemi pour un kilo de tabac ! Entre sa femme adorée et le cigare, le mari choisit le cigare ! Et le prisonnier préfère rester en prison si on lui donne du tabac à volonté ! Quel pouvoir a donc ce plaisir, qui est le plaisir des malheureux ? »
(d'après le *Traité des excitants modernes – Du tabac*)

Vocabulaire :

ironique : drôle, qui n'est pas vraiment sérieux.

l'excitant : produit qui agit sur le système nerveux, par exemple le café.

la cheminée : costruite sur le toit d'une maison, elle permet l'évacuation de la fumée.

Maintenant que tu connais mieux ces écrivains, réponds aux questions suivantes :

1. Comment s'appelle le gâteau que mange Proust ?

2. Pour Proust, qu'est-ce qui donne une unité au temps ?

3. Comment s'appelle l'ensemble des 7 romans de Proust ?

4. Qu'est-ce que Gargantua a dit à sa naissance ?

5. Selon Balzac, en quoi se transforme un homme qui fume ?

A À toi de poser les questions qui correspondent aux réponses !

1. _Comment s'appelle le géant de Rabelais ?_

Le géant de Rabelais s'appelle Gargantua.

2.

Non. Gargantua ne fait pas de régime.

3.

Quatre personnes nourrissent Gargantua.

4.

Balzac est un écrivain français.

5.

Non ! Balzac déteste la fumée !

6.

Non, le tabac est le plaisir des gens malheureux.

Lis bien le texte sur Balzac et choisis la bonne réponse !

1. Quel est l'excitant parmi les produits suivants :
   a. le lait ☐
   b. l'alcool ☐
   c. l'eau ☐

2. « ironique » signifie :
   a. sérieux ☐
   b. triste ☐
   c. drôle ☐

3. un bandit est :
   a. un voleur ☐
   b. un écrivain ☐
   c. un excitant moderne ☐

4. Que signifie : « ce plaisir qui est le plaisir des malheureux » ?
   a. c'est très amusant ☐
   b. ce plaisir n'est pas un vrai plaisir ☐
   c. la fumée plaît au prisonnier ☐

De retour chez lui, Jean-Pierre allume son ordinateur.

– Ce serait bien de savoir où en sont Marianne et Mathilde avec leur régime.

Après quelques clics, il est en ligne, prêt à bavarder avec ses amies. Il n'en croit pas ses yeux ! Marianne et Mathilde sont pâles et ont les yeux cernés.

– Qu'est-ce qui vous arrive ? demande Jean-Pierre curieux.

– C'est à cause de notre régime, répond Marianne.

– Que veux-tu dire ? demande le jeune belge.

– Et bien voilà, répond Mathilde. Notre régime prévoit de ne manger que des pamplemousses : des pamplemousses le matin, des pamplemousses le midi et des pamplemousses le soir.

– … mais il y a un petit problème, ajoute Marianne.

– Quel est ce problème ? demande Jean-Pierre.

Mathilde répond :

– Je reviens tout de suite ! et elle disparaît de l'écran.

– Où va-t-elle ? questionne Jean-Pierre.

– … aux W.C. C'est ça le gros problème de ce régime !

Jean-Pierre éclate de rire.

– Paul a raison. Vous êtes complètement folles ! Ne manger que des pamplemousses… pour maigrir ! Vous vous transformez en jus de fruits ! C'est trop fort !!

Jean-Pierre explique à Marianne le danger de ces régimes.

– Il faut respecter la pyramide alimentaire, assure-t-il.

– Qu'est-ce que c'est ? demande Marianne.

Le garçon dit à Marianne que la pyramide alimentaire se compose de 6 groupes d'aliments et que chaque groupe doit être présent dans notre alimentation pour nous garder en bonne santé.

– Attends Marianne, je t'envoie par courriel une image de la pyramide alimentaire !

– Merci Jean-Pierre, c'est très gentil. Tu peux l'envoyer aussi à Mathilde ?

– Mais bien sûr !

A **Le jeu des pronoms :** *moi, toi (2), lui (2), elle (2), eux, vous, eux.* **Mets le pronom qui convient dans la phrase.**

1. Marianne fait un régime alors que Jean-Pierre _____ mange beaucoup !

2. Pendant que _____ Mathilde, tu es sur Internet, Paul _____ passe son permis.

3. Ce soir, je vais chez Marianne, et _____, que faites-vous ?

4. Le professeur dit que l'activité est facile, mais les étudiants _____ disent qu' _____ est difficile.

5. Ton frère et _____, vous devez faire un régime !

6. Je t'aime ! Et toi ? - _____ aussi !

7. Qui voyage sur Internet ? Mathilde ? – Oui, c'est _____.

B *à* **ou** *de* **?**

1. Le père de Marianne parle *à* sa fille.

2. Paul apprend _____ conduire.

3. Jean-Pierre demande aux filles _____ ne pas faire de régime.

4. Mathilde décide _____ maigrir et le dit _____ Marianne.

5. Paul s'amuse _____ jouer au hockey.

46

6. Marianne pense _____ Jean-Pierre.

7. Le professeur parle _____ Marcel Proust et des madeleines.

C **Lis et complète le texte avec les mots qui se trouvent dans la liste !**

Jean-Pierre   est au lycée.

Le _____ parle de littérature. Il explique

que les madeleines sont des _____ .

Marianne et Mathilde mangent beaucoup de _____ :

elles se transforment en _____ .

Elles veulent devenir _____ .

Mais elles ne sont pas _____ !

- Jean-Pierre
- jus de fruits
- pamplemousses
- professeur
- grosses
- gâteaux
- maigres

Voilà le courriel de Jean-Pierre :

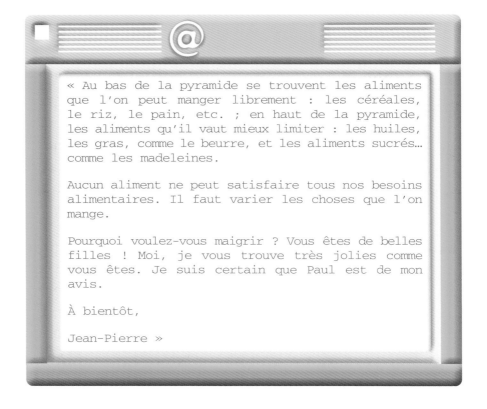

« Au bas de la pyramide se trouvent les aliments que l'on peut manger librement : les céréales, le riz, le pain, etc. ; en haut de la pyramide, les aliments qu'il vaut mieux limiter : les huiles, les gras, comme le beurre, et les aliments sucrés... comme les madeleines.

Aucun aliment ne peut satisfaire tous nos besoins alimentaires. Il faut varier les choses que l'on mange.

Pourquoi voulez-vous maigrir ? Vous êtes de belles filles ! Moi, je vous trouve très jolies comme vous êtes. Je suis certain que Paul est de mon avis.

À bientôt,

Jean-Pierre »

— Qu'est-ce qu'il est mignon Jean-Pierre ! soupire Marianne.

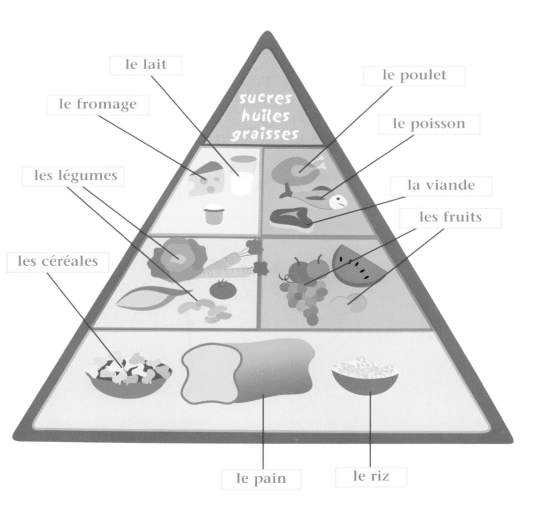

le lait

le fromage

le poulet

le poisson

les légumes

la viande

les fruits

les céréales

sucres huiles graisses

le pain

le riz

A **Cherche l'intrus !**

1. la pyramide – le riz – le pain – le beurre – l'huile

2. le gâteau – la madeleine – le sucre – le pamplemousse

3. le régime – le riz – les céréales – la carotte – le fruit

4. maigrir – faire un régime – grossir – ne pas manger

5. joyeux – content – triste – gai – allègre

B **Qui fait quoi ? Suis les parcours et écris sous chaque image le nom du personnage et le numéro de la phrase qui lui correspond.**

1. Je passe mon examen de conduite automobile.

2. Il faut respecter la pyramide alimentaire.

3. Je lis un livre de poésie très interéssant.

4. Je fais un régime et je ne mange que des pamplemousses.

Le lendemain, Jean-Pierre, Mathilde et Marianne se retrouvent sur Internet pour une intense séance de bavardage...

– Finalement, annonce Mathilde, Jean-Pierre a raison : nous sommes très bien comme ça !

– Et ce n'est pas tout, reprend Jean-Pierre. Les régimes amaigrissants présentent des risques pour la santé.

– Au fond, dit Marianne, c'est l'industrie de la mode qui, par ses actions, entretient cette obsession de maigrir à tout prix.

– Ouais, c'est vrai ça Marianne ! dit Mathilde. Pourquoi vouloir être comme un top-modèle ? Chaque personne est unique et c'est parce qu'elle est unique qu'elle est belle.

Jean-Pierre est content, mais il ne dit rien : lui aussi est différent et unique. Il ne parle jamais de son handicap à ses amis. Peut-être doit-il leur dire que...

C'est alors qu'intervient Paul, comme d'habitude en retard au rendez-vous.

– Salut les amis ! Pardon ! Je ne suis pas ponctuel, mais j'ai une bonne raison.

– Tu as toujours une bonne raison, Paul ! commente Mathilde.

– Et ton permis de conduire ?

– C'est cela ma raison !

– Tu l'as ? demande Marianne.

Que va répondre Paul ?

A Complète les phrases suivantes en utilisant les mots ci-dessous.

- cornichons
- portière
- frigo
- baladeur
- pamplemousses
- barbe
- craie
- permis
- mayonnaise
- fromage

1. Mes aliments préférés sont les _____ et la _____.

2. Pour écrire au tableau noir, il faut une _____.

3. Mathilde et Marianne font un régime. Elles ne mangent que des _____.

4. On reconnaît l'examinateur parce qu'il a une _____.

5. A seize ans, au Canada, on peut passer son _____ et conduire une voiture.

6. Le père de Marianne mange du _____ et écoute de la musique avec un _____.

7. Tu dois dire au _____ : « Tu n'existes pas ! »

8. Paul ferme la _____ de l'automobile.

54

Écris un court texte en utilisant au moins 6 mots de l'activité A.

Paul commence à raconter son examen de conduite ...

— Mon examinateur est le plus sévère de toute l'auto-école.
Et en plus je suis dans le char... heu... la voiture numéro
13 ! Un nombre porte-malheur. Je monte dans la voiture.
Je mets le moteur en marche. Je sors du garage et tourne
à droite dans la rue Rabelais. Je continue tout droit
jusqu'aux feux de circulation et à ce moment précis...
un homme ouvre la portière et me dit :
« Vite à l'hôpital ! Je suis blessé. Vite ! Vite ! »

Aussitôt, j'accélère. J'évite deux ou trois véhicules et, au bout de la rue, il y a une zone scolaire : je dois ralentir !
Sur la banquette arrière, l'homme perd beaucoup de sang. Heureusement, j'arrive à l'Hôtel-Dieu, l'hôpital qui est tout près. L'homme est sain et sauf !

– Et ton permis ? Est-ce que l'examinateur t'a collé ?

– Au contraire ! réplique Paul. Il a dit : « Mon garçon, pour conduire comme ça, ce n'est pas un permis pour conduire en ville qu'il te faut, mais un permis d'ambulancier ! Tu as réussi l'examen pratique ! »

– Tu as donc ton permis ? demande Mathilde.

Paul agite son permis à l'écran. Ses amis sont très surpris.

Vocabulaire :

porte-malheur : signe, objet qui cause la malchance, le malheur.

zone scolaire : secteur où se trouve une école.

la banquette : le siège d'une voiture.

coller quelqu'un à l'examen : faire échouer quelqu'un à l'examen.

l'ambulancier (m): personne qui conduit une ambulance, le véhicule qui transporte les malades.

La bonne attitude ! Regarde l'expression de Paul et associe l'adjectif qui convient.

a. fatigué

1.

b. souriant

2.

c. en colère

3.

d. triste

4.

Si on mettait en file indienne toutes les voitures de France, on aurait un embouteillage qui va de la terre à la lune !

Paul s'intéresse à ses amies...

Et vous, les filles, ajoute Paul, où en êtes-vous avec votre régime?

— Nous laissons tomber, répond Mathilde.

— Pourquoi ?

— C'est une longue histoire ! soupire Marianne.

— D'ailleurs être au régime quand on travaille le week-end dans un restaurant, poursuit Mathilde, c'est pas l'idéal...

— Il n'y a que des avantages à ne plus être au régime ! s'exclame Paul.

— Vous pouvez manger du chocolat, fait Jean-Pierre.

— ... de la fondue, continue Mathilde.

— ... et des calissons ! termine Marianne.

— Ou encore de la « poutine », ajoute Paul.

Les trois autres éclatent de rire : de la « poutine ». Un plat qui a le nom d'un président russe ! Qu'est-ce qu'ils sont rigolos les Canadiens !
Paul n'a pas le temps d'expliquer ce qu'est la poutine que Marianne redevient soudainement sérieuse et dit :

— Mais si je ne fais plus de régime, un problème se pose ...

— Lequel ? questionne Mathilde.

— Ma mère va encore trouver de la mayonnaise dans les pages de Rimbaud ! dit joyeusement Marianne.

Vocabulaire :

laisser tomber : abandonner, arrêter.

c'est pas l'idéal… : ce n'est pas ce qu'il y a de mieux.

la fondue : plat composé de fromages fondus dans lesquels on trempe du pain.

le calisson : petit gâteau à la pâte d'amande typique d'Aix-en-Provence.

la poutine : plat composé de frites, de fromage et de sauce brune.

L'alimentation et la circulation automobile sont les thèmes principaux de ce récit de clic-ado. Dans les listes ci-dessous, tu trouveras certains mots déjà vus dans le texte et qui se rapportent aux deux thèmes du livre. Tu dois bien les regarder et tenter de les apprendre ! Va ensuite sur le site www.clic-ado.com . Tu y trouveras un jeu amusant… pour jouer, tu devras te souvenir du vocabulaire et de ce qui est arrivé à nos quatre copains. Amuse-toi bien !

La circulation automobile

accélerer

conduire

l'auto-école (f)

l'automobile (f)

l'autoroute (f)

l'embouteillage (m)

l'essence (f)

l'examen de conduite (m)

la portière

la roue

la route

la rue

la voiture

le «char»

le capot

le code de la route

le garage

le moyen de transport

le pare-brise

le permis de conduire

le piéton

le sens interdit

le stationnement interdit

le train

le virage à droite obligatoire

les feux de circulation

les transports en commun

mettre le moteur en marche

monter dans la voiture

ralentir

tourner à droite / à gauche